ISBN 978-2-211-02520-1
Traduit du japonais par Nicole Coulom
© 1990, l'école des loisirs, Paris, pour l'édition en langue française
© 1989, Yukiko Tanno pour le texte
© 1989, Mako Taruishi pour les illustrations
Titre original : « A letter from Santa Claus » (Fukuinkan Shoten, Publishers, Tokyo)
Loi numéro 49 956 du 16 juillet 1949 sur les publications
destinées à la jeunesse : septembre 1991
Dépôt légal : juillet 2020
Imprimé en France par Aubin Imprimeur à Ligugé

La lettre du Père Noël

Une histoire de Yukiko Tanno   Illustrée par Mako Taruishi

les lutins de l'école des loisirs
11, rue de Sèvres, Paris 6ᵉ

Une épaisse couche de neige recouvre la forêt.
C'est la veille de Noël.
Facteur Souris, la sacoche pleine de lettres, quitte la poste d'un pas rapide.
Il commence sa tournée.

Dans sa hâte… « Aaaah ! »
Il glisse et tombe à la renverse.
« Les lettres ! »
Affolé, Facteur Souris ramasse
tout le courrier.

En récupérant la dernière lettre,
il voit que la neige en a effacé l'adresse.
«Que faire ? À qui l'apporter ?»
Facteur Souris est très embêté, mais
il doit continuer sa tournée.

«Madame Lapin, c'est le facteur.»
«Madame Chouette… une lettre exprès.»
D'habitude, Facteur Souris est toujours de bonne humeur.
Aujourd'hui, les animaux de la forêt
découvrent un autre Facteur Souris, tout triste.
«Eh bien, Facteur Souris, ça ne va pas ?»
«Vous en faites une tête !»

Facteur Souris termine sa tournée.

Dans un coin retiré de la forêt, il sort la lettre à l'adresse effacée.

« Que faire ?…»

Le Renard s'approche. « Hum… Facteur Souris, vous m'inquiétez.»

Madame Chouette et l'Écureuil arrivent aussi.

L'Ours, Madame Lapin, tous inquiets, entourent Facteur Souris.

Sans un mot, Facteur Souris leur montre la lettre.

« Ah… je comprends. Que faire ?» dit l'Ours.

« Qui est l'expéditeur ?» demande Madame Lapin.

« Je n'ai pas regardé », répond Facteur Souris.

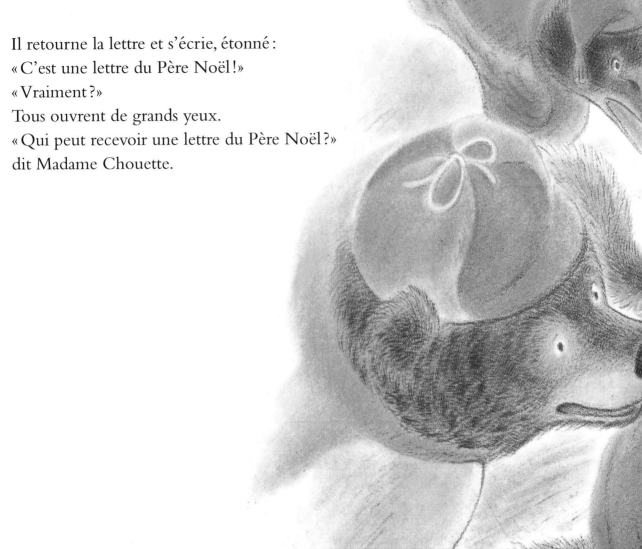

Il retourne la lettre et s'écrie, étonné :
« C'est une lettre du Père Noël ! »
« Vraiment ? »
Tous ouvrent de grands yeux.
« Qui peut recevoir une lettre du Père Noël ? »
dit Madame Chouette.

De nouveau, ils examinent attentivement l'adresse illisible.

« J'ai le même sac noir. »

«J'ai un tablier bleu,
elle est sûrement pour moi.»

«J'ai un bonnet et une écharpe.
Sans aucun doute, c'est pour moi.»

«On dirait mes bottes,
et moi aussi j'ai une écharpe.»

«Regardez mon bonnet,
il est bleu lui aussi.»

«Moi aussi
j'ai une casquette
et une écharpe.
Il y a une différence.
Regardez ça :
Qu'est-ce que c'est ?
Une canne ?
le manche d'un parapluie ?
ou…»

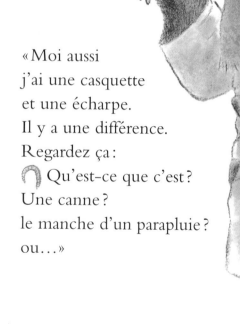

«Aaaaïe… ma queue… ma queeeeeue !»
crie une voix.
C'est l'ours qui écrase la queue
de Facteur Souris.
«Pardon… pas trop de mal, j'espère ?»
demande l'Ours.
Au même moment, tous crient en chœur :
«On a trouvé. ⌒ c'est la queue
de Facteur Souris.»
Et ils se mettent à comparer les taches
de la lettre avec Facteur Souris.

Une casquette et un uniforme bleus,
une écharpe rouge, des bottes noires,
et la sacoche noire aussi.
« Il n'y a pas de doute. Cette lettre
est pour Facteur Souris », dit l'Ours.
« Pour moi ? Une lettre du Père Noël ! »
dit Facteur Souris intimidé.
« Facteur Souris… Facteur Souris…
ouvrez vite la lettre… »
réclament les animaux,
les yeux brillants de curiosité.

Tremblant, Facteur Souris ouvre la lettre et commence à lire à haute voix.

Bonjour. Je suis le **Père Noël**

Ce soir, je dois distribuer les **cadeaux**

Facteur Souris voulez-vous me guider *je vous prie* dans la forêt.

À la tombée du jour venez sous le plus grand **sapin** de la forêt.

Le Père Noël

«Formidable! Formidable! Servir de guide au Père Noël…»
«Quelle chance! Facteur Souris, vous allez monter sur le traîneau du Père Noël.»
Tous l'envient. «C'est grâce à vous, mes amis. Merci», dit Facteur Souris,
reconnaissant.

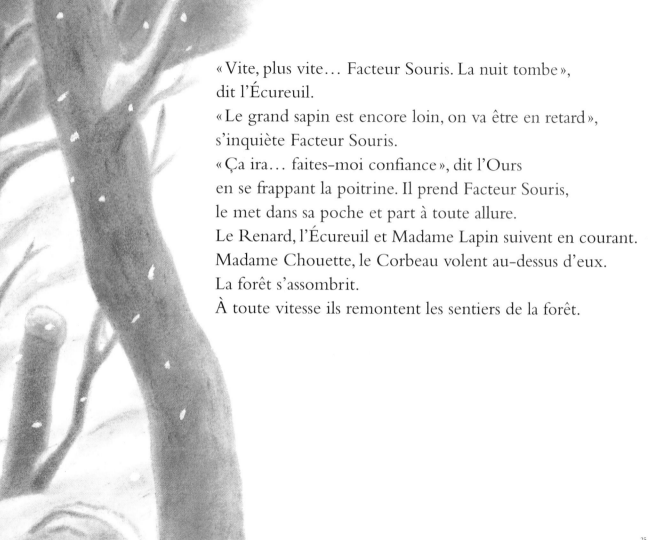

«Vite, plus vite… Facteur Souris. La nuit tombe»,
dit l'Écureuil.
«Le grand sapin est encore loin, on va être en retard»,
s'inquiète Facteur Souris.
«Ça ira… faites-moi confiance», dit l'Ours
en se frappant la poitrine. Il prend Facteur Souris,
le met dans sa poche et part à toute allure.
Le Renard, l'Écureuil et Madame Lapin suivent en courant.
Madame Chouette, le Corbeau volent au-dessus d'eux.
La forêt s'assombrit.
À toute vitesse ils remontent les sentiers de la forêt.

Soudain, le ciel s'illumine.
Devant eux se dresse le plus grand sapin
de la forêt, décoré de mille lumières.
Le Père Noël est debout au pied du sapin.
« Merci d'être venu, Facteur Souris.
Il faut partir le plus vite possible.
Vous autres, voulez-vous monter
sur mon traîneau ? »
Tous acceptent avec joie.

«Alors, en route.»
Les animaux imaginaient le traîneau
glissant sur la neige.
À leur stupeur, il s'élève dans le ciel.
«Oh… oh!»
«On vole… on vole!»
«Renard… j'aperçois ta tanière!»
«C'est magnifique, il neige!!»
Dans le traîneau, ce ne sont
qu'exclamations de joie et de surprise.
Facteur Souris guide le Père Noël
avec beaucoup de compétence.
Tous les paquets seront déposés.
Chacun aura son cadeau de Noël.